CW00847476

Christina de Groot

Willi Hummel in Frankreich

Willi, die Europahummel, Bd. 1

Bibliografische Information der Deutschen Nationalbibliothek

Die Deutsche Nationalbibliothek verzeichnet diese Publikation
in der Deutschen Nationalbibliothek; detaillierte bibliografische
Daten sind in Internet über http://dnb.d-nb.de abrufbar.

Christina de Groot

Willi Hummel in Frankreich

Willi, die Europahummel, Bd. 1

Willi erwachte. Unter ihm rumpelte und ruckelte es.
„Hä?" dachte er verschlafen. „Wo bin ich?"
Er öffnete die Augen. „Ach ja! Ich bin ja im Zug!"
Sofort war er hellwach.
„Frankreich!" flüsterte er. „Ich bin auf dem Weg
nach Frankreich!"
Er erhob sich von der Gepäckablage und flog ans
Fenster. Draußen sausten Wiesen und Bäume vorbei,
zumindest sah es so aus. Bahnfahren war schon ein
bisschen komisch, fand er. So in Bewegung zu sein,
ohne sich selbst zu bewegen.
„Ob das da draußen schon Frankreich ist?" dachte
er.
Da hörte er Stimmen. „Wir sind gleich da, mein
Schatz!" sagte eine freundliche Frauenstimme. „Du
kannst schon Deine Tasche nehmen!"
Willi lugte über den Rand der Gepäckablage. Er sah
eine Frau mit einem hellbraunen Koffer und ein
kleines Mädchen, die eine leuchtend rote Tasche in
der Hand hielt.
„Wahrscheinlich Mutter und Tochter." dachte er.
„Was sie wohl in Frankreich machen? Ob sie auch
wegen der Croissants gekommen sind?"

Die Frau und das Mädchen traten auf den Flur. Willi beschloss, ihnen zu folgen und mit den Beiden hinaus zu schlüpfen, wenn sie aus dem Zug stiegen.

Zu gerne hätte er sich dem kleinen Mädchen bemerkbar gemacht. Er mochte Kinder, besonders die kleinen! Sie und er verstanden sich! Sie lächelten ihn immer so fröhlich an und scheuchten ihn nicht gleich weg, jedenfalls meistens nicht, zumindest wenn kein Erwachsener in der Nähe war. Wie er dieses Kinderlächeln liebte! Es war so ganz anders als das von erwachsenen Menschen!

„París! Le prochain ârret est - París!"[1] rief eine laute Männerstimme, die aus der Decke zu kommen schien.

„Next station: Paris!"[2] rief dieselbe Stimme.

Willis Herz klopfte wie wild. Gleich war es so weit! Wie es sich wohl anfühlte, in Paris zu sein? Und wie es dort wohl roch?

Er hatte eindeutig die ganze Nacht geschlafen, denn die Fahrt war gleich zu Ende. Er schaute aus dem Fenster. Was er da sah, war ziemlich groß und, wie er fand, ziemlich häßlich. Schöne Häuser waren das nicht, die da an ihnen vorbeizogen. Kaum etwas

---

[1] frz.: „Paris! Der nächste Halt ist - Paris!"

[2] engl.: „Nächste Station: Paris!"

Grünes war zu sehen! Das sollte Paris sein? Die Hauptstadt von Frankreich?

„Diese Häuser passen gar nicht zu etwas so Schönem wie Croissants!" dachte er.

Im nächsten Moment jedoch änderte sich alles: Große Bäume tauchten auf und wunderschöne, prächtige Häuser. Auf einmal wirkte alles freundlich und sehr hübsch.

Willi lächelte. Das gefiel ihm schon besser!

Kurze Zeit später verlangsamte der Zug seine Fahrt. Das kleine Mädchen wurde ganz aufgeregt. „Mamán!" rief es. „Papá va venir nous chercher?"[3] Die Art, wie sie sprach, erinnerte Willi an Bernadette.

Es quietschte Ohren betäubend laut. Gleich darauf kam der Zug zum Stehen.

„Papá!" rief das kleine Mädchen und winkte wie wild. „C'est papá!"[4]

Es piepte mehrmals, und die Tür des Zuges öffnete sich. Willi flog, so schnell er konnte, hinaus. Er wäre ja gerne noch in der Nähe des kleinen Mädchens geblieben, aber er wollte kein Risiko eingehen. Es waren doch ziemlich viele Menschen hier. „Tschüß!" flüsterte er, als er an ihr vorbei flog. Das kleine

---

[3] frz.: „Wird papá uns abholen?"

[4] frz.: „Da ist papá!"

Mädchen schaute hoch. Täuschte er sich oder lächelte sie ihn an?

„Wie groß hier alles ist!" dachte er. „Und sooo viele Menschen!"

Er entschied sich, erst einmal ganz nach oben unter die hohe Decke des Bahnhofes zu fliegen und sich dort für ein Moment niederzulassen. „Erstmal ankommen." dachte er. Er schloss die Augen und atmete ein paar Mal tief durch.

„Jetzt bin ich also in Frankreich!" sagte er zu sich selber. „Mein erstes großes Abenteuer!"

Er schaute nach unten. Wie lang die Züge waren! Willi kam aus dem Staunen gar nicht wieder heraus! Er hatte gedacht, es gäbe vielleicht ein, zwei Züge in einem Bahnhof, und die würden dann immer hin- und herfahren.

„Wooow!" flüsterte er. „Das ist wirklich groß hier!"

Er schaute auf die vielen Menschen unter sich! Wo kamen die nur Alle her? Und wo wollten die Alle hin?

„Wenn die alle ein Croissant wollen, dann muss ich mich vielleicht beeilen!" dachte er. „Sonst sind die Croissants nachher alle weg!"

Er wurde ein wenig nervös. „Dann hab' ich den ganzen langen Weg hierher gemacht und es gibt keine Croissants mehr!"

Die Menschen waren richtig schnell unterwegs. Auf den ersten Blick sah es so aus, als liefen sie Alle durcheinander. Doch dann erkannte Willi, dass Viele von ihnen in die gleiche Richtung gingen, wohin, das konnte er allerdings nicht sehen.!

„Sie gehen bestimmt aus dem Bahnhof raus!" flüsterte er aufgeregt. „Dann nichts wie hinterher!" Gesagt, getan!

Noch immer so dicht wie möglich unter dem Dach bleibend folgte er den Menschen. Und tatsächlich: Gleich darauf sah er riesengroße Türen, durch die die Menschen verschwanden. So schnell er konnte, flog er hinterher.

Draußen war strahlender Sonnenschein. Für einen kurzen Augenblick schloss Willi die Augen, so hell war es.

Als er die Augen wieder öffnete, war er überwältigt: Hier waren ja noch vielmehr Menschen als im Bahnhof! Und jede Menge Autos und Busse und kleine knatternde Fahrräder!

„Halleluja!" flüsterte er. „So voll habe ich mir Frankreich aber nicht vorgestellt! Wie soll ich denn da ein einzelnes Croissant finden???" Er ließ sich auf einer sehr hohen Laterne nieder.

„Bonjour!"[5]

Willi schaute zur Seite.

„Ça va?"[6] Ein wunderschönes Hummelmädchen lächelte ihn an.

„Äh…" begann Willi.

Die Freude darüber, eine Hummel zu treffen, wich dem Gefühl der Unsicherheit. Wie sollte er sich denn mit ihr unterhalten? Sie sprachen ja unterschiedliche Sprachen! Daran hatte er ja überhaupt nicht gedacht.

„O nein!" entfuhr es ihm.

„Qu'est-ce qu'il y a?"[7] Das Hummelmädchen sah ihn fragend an. „Tu est triste?"[8]

Wie schön die Worte aus ihrem Mund klangen.

„Mist!" entfuhr es Willi.

„Mi-s-te?" Das Hummelmädchen lachte.

Willi wurde rot. „Wie soll ich mich bloß mit ihr unterhalten?" dachte er.

---

[5] frz.: „Hallo!"

[6] frz.: „Wie geht's?"

[7] frz.: „Was ist los?"

[8] frz.: „Bist Du traurig?"

Das Hummelmädchen lächelte ihn an. „Je suis Chloé!"[9] sagte sie und tippte sich an die Brust. „Et toi?"[10] Sie zeigte auf ihn.

„Äh…" Willi war sich nicht ganz sicher. „Willi." sagte er probehalber. „Ich bin Willi!"

„Ewillí?" wiederholte das Hummelmädchen und zeigte auf ihn.

Willi schüttelte den Kopf. „Nein! Nur Willi!" Er tippte sich an die Brust. „Willi!"

„Ah!" rief das Hummelmädchen. „Willí!" Sie lachte wieder. Dann tippte sie sich erneut an die Brust. „Chloé! Et" Sie zeigte auf ihn. „Willí!" Sie strahlte ihn an.

Jetzt musste auch Willi lächeln. Dass er in Paris eine andere Hummel treffen könnte, daran hatte er überhaupt nicht gedacht, und dann auch noch so ein bezauberndes Hummelmädchen! Vielleicht hätte er Bernadette nach ein paar Worten Französisch fragen sollen. Aber es war alles so schnell gegangen!

„Chloé!" dachte er. „Was für ein schöner Name!" Frankreich schien, außer dem Land des guten Essens, auch das Land der schönen Namen zu sein: Croissant, Chloé… Hach! Das war wie Musik! Er seufzte selig.

---

9 frz.: „Ich bin Chloé!"

10 frz.: „Und Du?"

„Magie", flüsterte er, „pure Magie!"

Er lächelte Chloé zaghaft an. Sie wusste bestimmt, wo er ein Croissant finden konnte! Nur - wie sollte er sie danach fragen?

„Willí!" sagte Chloé in diesem Moment. „Attention!"[11] Sie begann zu gestikulieren.

Was Willi glaubte zu verstehen, war: Du bleibst hier. Ich fliege weg. Ich komme wieder. Du bleibst hier!

Er nickte.

Chloé strahlte ihn an und flog davon.

Kaum konnte er sie nicht mehr sehen, wurde er auf einmal nervös. Was, wenn er sie falsch verstanden hatte? Was, wenn sie nicht mehr zurückkam?

Er sah sich um. Es war wirklich riesengroß hier! Alleine der Platz vor dem Bahnhof!

Er seufzte.

Er wusste nicht genau, was er sich vorgestellt hatte, aber irgendwie hatte er gedacht, dass es ganz einfach sein würde, ein Croissant zu finden. Einfach mit dem Zug ankommen und ein Croissant finden. Aber so war es offensichtlich nicht. Und nun?

In dem Moment glaubte er, zu träumen. Was was DAS denn? Da war ein Croissant, auf der anderen Seite des großen Platzes, und es war so groß wie ein

---

[11] frz.: „Aufgepasst!"

Auto! Ach was, noch viiiel größer! Wie war DAS denn möglich?

Er sah genauer hin: Das Croissant schien an der Wand des großen Haus zu kleben, direkt über einem großen Fenster. Ob er mal hinfliegen sollte?

„Willi!" rief es da.

Chloé landete neben ihm. Sie hatte Jemanden mitgebracht. „Voilá!" Sie zeigte auf die andere Hummel. „C'est Colette!"[12]

„Hallo, Willi!" sagte Colette und strahlte ihn an. „Ich bin zwar Französin, aber ich spreche auch Deutsch. Chloé dachte, dass das hilfreich sein könnte! Sie versteht zwar ein bisschen Deutsch, aber sie sagt immer, sie kann es nicht sprechen."

Willi glaubte zu träumen. Konnte man so viel Glück haben?

„Was machst Du hier, Willi?" fragte Colette. „Und wie bist Du hier hergekommen, nach Paris, meine ich?"

„Mit dem Zug." antwortete er. „Und ich bin hier, weil ich Croissants liebe, und Frankreich ist doch das Land der Croissants!"

Colette sah ihn mit großen Augen an. Dann lachte sie. Es war ein fröhliches Lachen, und sie schien ganz

---

[12] frz.: „Das ist Colette!"

offensichtlich beeindruckt von dem, was Willi gesagt hatte. Sie übersetzte Chloé seine Worte.

Chloé schaute ihn mit großen Augen an. Dann stieß sie einen lauten Pfiff aus, nickte anerkennend und machte eine Handbewegung, die zeigte, wie beeindruckt sie war.

Willi wurde ein wenig rot.

„Willi!" rief Chloé lachend, während sie weiter anerkennend nickte.

„Sie hat mir gerade zugezwinkert!" dachte Willi und wurde jetzt richtig rot. Schnell guckte er zur Seite.

„Du bist also auf der Suche nach einem echten, französischen Croissant?" Colette sah ihn fragend an. „Dann würde ich mal sagen… On y va!"[13]

Sie erhob sich. „Im Grunde gibt es fast überall in Frankreich gute Croissants! Aber wenn Du so einen weiten Weg zurückgelegt hast für den Genuss eines original französischen Croissants, dann sollst Du auch das aller aller köstlichste Croissant essen! Komm mit!"

Willi konnte sein Glück kaum fassen. „Wo fliegen wir denn hin?" fragte er.

---

[13] frz.: „Auf geht's!"

„Su därr allär köstlischstän boulangerie[14] de París!" rief Chloé und flog los. Offensichtlich konnte sie doch ein bisschen Deutsch sprechen.

Unter ihnen tobte das Leben: Autos hupten ständig, Motorräder knatterten, Bremsen quietschten und die Menschen gestikulierten wie wild und riefen mehr als dass sie sprachen. Zusammen war es wie ein Summen und Brummen, das Willi an die Geräusche erinnerte, die er mal von außen in einem Bienenstock gehört hatte. Nur viel viel lauter! Er fand es faszinierend, aber ihm fehlte schon jetzt die Natur.

„Dort fliegen wir hin!" rief Colette und zeigte auf einen Park. „Da ist es schön, und direkt nebenan gibt es die besten Croissants der Stadt!"

Als sie den Park erreichten, atmete Willi auf. Hier gab es Bäume und Blumen und Wasser und Gras! Herrlich! Sie überflogen einen Teil des Parks, und Willi sah, wie wunderschön er war!

Plötzlich roch er Croissantduft! Suchend blickte er sich um.

„Là!"[15] rief Chloé. Sie zeigte auf eine kleine Strasse direkt neben dem Park.

---

[14] frz.: Bäckerei

[15] frz.: „Dort!"

„Es sieht unscheinbar aus", rief Colette, „aber glaub' mir, es ist ein Paradies! Ganz besonders für die, die Croissants lieben! Die Allerallerbesten von ganz Paris gibt es dort! Ach, was sage ich: von ganz Frankreich!"

Willi sah hinunter auf die kleine Strasse: Direkt an der Ecke war eine Bäckerei.

„Voilá!" rief Chloé. „La boulangerie!"

„Bäckerei!" übersetze Colette.

Willis Herz klopfte schneller. Gleich würde er das erste echte französische Croissant seines Lebens essen - in Frankreich! Und nicht nur das: Er würde dessen Duft einatmen und für immer und ewig in Erinnerung behalten, das wusste er! Er fühlte sich, als hätte er alle Geburtstage seines Lebens gleichzeitig!

Sie flogen auf die Bäckerei zu.

Willi glaubte zu träumen: Das ganze Schaufenster war voll der köstlichsten Dinge! In der Mitte sah er drei hohe Körbe mit langen, hellen Stangen, die ihn an Brötchen erinnerten, nur viel viel länger! Was das wohl sein mochte? Er würde später danach fragen. Jetzt wollte er nur Eins: ein Croissant!

Und da sah er sie! Direkt hinter den drei großen Körben mit den langen Stangen! Croissants, so viele, dass ihm fast schwindelig wurde vor Glück. „Croissants!" flüsterte er. „Echte Croissants! So Viele!"

„Also: Auf geht's!" rief Colette. „Halt Dich dicht bei mir, Willi! Das ist ganz wichtig!"

Sie flogen hinein. Zuerst Colette, dann Willi und dahinter Chloé. Dicht unter der Decke fliegend, näherten sie sich all den wunderbaren Sachen, die in Körben in Regalen an der Wand hinter einem Tresen lagen. Vor dem Regal stand eine junge Frau und verkaufte Alles.

„Ich würde sooo gerne ein ganzes Croissant mitnehmen!" dachte Willi. „Aber ich weiß nicht, wie das gehen soll!"

„Deux baguettes, cinque croissants et un croissant separate, s'il vous plaît!"[16] sagte eine junge Frau, die vor dem Tresen stand.

„Alors:"[17], wiederholte die freundliche Verkäuferin, „deux baguettes, cinque croissants et un croissant separate!"[18] Sie nahm zwei von den langen, hellen Stangen und reichte sie der jungen Frau. Dann tat

---

[16] frz.: „Zwei Baguettes, fünf Croissants und ein Croissant einzeln, bitte!"

[17] frz.: „Also:"

[18] = 16

sie fünf Croissants in eine große Papiertüte und ein einzelnes Croissant in eine kleine. „Voilá!! Et avec cela?"[19] Als die junge Frau verneinte, nannte die Verkäuferin den Preis. Die junge Frau zahlte, nahm die Sachen und verließ die Bäckerei.

Der nächste Kunde war an der Reihe.

Willi sah der jungen Frau durch das Fenster nach. Die hatte es gut! Konnte einfach so ein Croissant mitnehmen!

Die junge Frau überquerte die Strasse in Richtung Park. Als sie den Park betrat, schien sie Jemanden zu sehen. Jedenfalls winkte sie heftig und rief Etwas, das Willi jedoch nicht hören konnte. Gleich darauf lief sie los. Dabei fiel ihr die kleinere der beiden Papiertüten aus der Hand und blieb mitten auf dem Sandweg liegen, was sie jedoch nicht bemerkte.

„Das Croissant!" flüsterte Willi.

„Colette!" rief er aufgeregt. „Colette! Sie hat das Croissant verloren! Da draußen! Im Park! Es liegt direkt auf dem Weg!" Als Colette ihn fragend ansah, fügte er hinzu: „Ich muss sofort hin!"

---

[19] frz.: „Bitte sehr! Sonst noch Etwas?"

Er wartete ihre Antwort nicht ab, sondern war im nächsten Augenblick schon durch die offene Tür hinausgeflogen.

„Ein ganzes Croissant!" flüsterte er. Es war, als hätte Jemand seinen Wunsch gehört und ihn in Erfüllung gehen lassen! Er konnte es kaum fassen: Ein ganzes Croissant!

Er landete auf der Papiertüte. Der Duft, der ihm entgegenkam, war betörend! Sein Herz raste vor Glück. Vorsichtig sah er sich um. Vielleicht bemerkte die junge Frau ihren Verlust ja noch und kam zurück. Aber so sehr er auch nach ihr Ausschau hielt, er konnte sie nirgendwo mehr sehen.

„Ein ganzes Croissant!" flüsterte er selig.

Er schaute zur Bäckerei. Hoffentlich hatte Colette mitbekommen, was er gesagt hatte! Denn wenn überhaupt, dann konnten sie es nur zusammen schaffen, die Tüte an einen sicheren Platz zu bewegen.

Doch da sah er, dass die Beiden bereits auf ihn zugeflogen kamen. Erleichtert atmete er auf.

„Hierher!" rief er und winkte aufgeregt. „Hierher!"

„Olalá!" rief Chloé, als sie die Tüte sah und den wunderbaren Duft einatmete. „C'est tout frais!"[20]

---

[20] frz.: „Das ist ja ganz frisch (aus dem Ofen)!"

Willi strahlte über das ganze Gesicht. „Wir sollten es schnellst möglich in Sicherheit bringen!" sagte er aufgeregt. „Besser ist besser. Zusammen schaffen wir das bestimmt!"

Sie setzten sich auf das eine Ende der Tüte. Auf Willis Zeichen hin griffen sie zu und zogen daran. „Und eins und zwei und drei!" rief Willi immer wieder. Stück für Stück bewegten sie die Tüte mitsamt dem Croissant weg von der Mitte des Weges hin zu einem Busch. Als die Tüte schließlich darunter lag, atmete Willi auf.

„Ein ganzes Croissant!" flüsterte er immer wieder. „Mein Wunsch ist wahr geworden!"

Durch die Bewegung hatte sich die Tüte geöffnet.

„Toi en premier, Willi!"[21] sagte Chloé. „C'est á toi!"[22]

„Es ist ja Deins!" übersetzte Colette lächelnd.

„Aber Ihr dürft mitessen!" rief Willi. „Ist doch Ehrensache!"

Er krabbelte in die Tüte. Ganz langsam ging er auf das Croissant zu. Mit jedem Schritt sog er den köstlichen Duft ein. Er war überglücklich!

Hinter sich hörte er es rascheln. Er drehte sich um.

„Kommt ruhig näher!" rief er Colette und Chloé zu.

---

[21] frz.: „Du zuerst, Willi!"

[22] frz.: „Es ist ja Deins!"

Als die Beiden bei ihm waren, schlug er vor, oben auf das Croissant zu klettern und dort den ersten Biss zu machen.

Gesagt, getan!

„Ein Croissantberg!" rief Willi lachend, als er ganz oben stand.

„Quasi une montagne entière!"[23] rief Chloé.

Beeindruckt ließ Willi seinen Blick über das Croissant schweifen. Was für eine Schönheit! Eine wahre Meisterleistung! Ein Kunstwerk!

Er atmete tief ein.

„Und jetzt…" flüsterte er. Er beugte sich vor, schloss die Augen - und biss hinein.

Vor seinem inneren Auge sah er bunte Lichter, die glitzerten und tanzten und ihm fröhlich zuwinkten. Und er hörte Musik, eine Melodie, so wunderschön wie nichts zuvor!

„Ein wahr gewordener Traum!" flüsterte er und atmete den Duft erneut tief ein. Dann biss er ein weiteres Stück ab. Und dann noch Eins und noch Eins und noch Eins. Irgendwann fühlte sich sein Bauch so an, als wäre er doppelt so groß wie vorher. Er seufzte selig.

---

[23] frz.: „Fast schon ein ganzes Gebirge!"

„Na, glaubst Du, Du kannst noch fliegen?" Colette schaute ihn lachend an.

„Wir Hummeln können immer fliegen!" entgegnete Willi lächelnd. „Naja…" Er strich sich über seinen Bauch. „…jetzt vielleicht ein bisschen langsamer." Er musste ebenfalls lachen.

„Vielleicht sollten wir uns im Park einen schönen Platz suchen und uns ein wenig ausruhen." schlug Colette vor, nachdem Chloé und sie ebenfalls Etwas vom Croissant gegessen hatten.

„Und das Croissant?" Willi schien ziemlich entsetzt zu gucken, denn die Beiden mussten lachen.

„Von mir aus nimm es ruhig mit!" sagte Colette. „Das möchtest Du doch am liebsten, n'est-ce pas?"[24]

Willi nickte. „Ich weiß ja, dass das nicht möglich ist…" Er klang traurig.

„'schüß, Croissant!" flüsterte er und strich über das Croissant. „Danke, dass ich von Dir essen durfte! Es fällt mir echt schwer, Dich hier zu lassen….aber ich befürchte, ich muss!" Jetzt war er ziemlich traurig.

„Wir sollten raus!" sagte Colette. „Nicht, dass noch Jemand die Tüte findet und mitnimmt oder schlimmer noch, drauf tritt."

Das überzeugte Willi.

---

[24] frz.: „…nicht wahr?"

Trotzdem fühlte sich sein Herz schwer wie ein Stein an. Er küsste das Croissant. „Tschüß!" flüsterte er. Dann flog er hinaus.

Sie suchten sich ein schattiges Plätzchen in einer der Ulmen nur unweit des Busches. Auf einem der unteren Äste ließen sie sich nieder.

„Oh, DAS war schön!" sagte Willi überglücklich. „Nur schade, dass ich es nicht mitnehmen kann!"

„Tu aimes vraiment beaucoup les croissants, n'est-ce pas?"[25] Chloé sah Willi beeindruckt an. „Comment se fait-il?"[26]

Willi erzählte von dem wundervollen Café mit den noch wundervolleren Croissants, dort, wo er wohnte.

„O la lá!" rief Chloé. „Ça m'a l'air formidable!"[27] Colette übersetzte ihm.

„Ja! Das ist es!" rief Willi. „Ich wollte unbedingt wissen, wer so etwas Schönes erfunden hat, und dann hat mir Bernadette von Frankreich erzählt, und da wusste ich: DA MUSS ICH HIN!"

„Bernadette?" Chloé schaute Willi fragend an.

---

[25] frz.: „Du liebst Croissants wirklich, nicht wahr?"

[26] frz.: „Wie kommt das?"

[27] frz.: „Das klingt großartig!"

„Sie ist eine französische Lilie. Sie wächst bei uns in den Großen Gärten, dort, wo ich wohne."

„Ah, je comprends!"[28] Chloé sah ihn beeindruckt an.

Auch Colette war beeindruckt. „Und was hast Du sonst noch vor?" fragte sie ihn.

„Sonst nichts. Jedenfalls habe ich nichts weiter geplant." antwortete Willi.

„Und Du bist wirklich mit dem Zug hierher gefahren?"

„Ja, das bin ich!" antwortete Willi. „Das war so aufregend! Und ganz schön! Ich fahre auch wieder mit dem Zug zurück!"

„Hattest Du keine Angst?"

„Nö."

Chloé sah ihn bewundernd an. „Tu es vraiment un héros![29] Ain`eld, Willí!"

Willi wurde verlegen. Er fand sich ja auch irgendwie mutig, aber aus dem Mund von Chloé klang es so besonders! Deswegen strahlte er sie an. „Das ist doch gar nicht so schwer! Der Zug fährt ja von ganz allein!"

---

[28] frz.: „Ah, ich verstehe!"

[29] frz.: „Du bist wirklich ein Held!"

„Willí!" Chloé sah ihn gespielt vorwurfsvoll an. „Tu,"
sagte sie und klimperte mit den Wimpern. „tu es un
` eld! Mon ` eld, Willí!"
Jetzt wurde Willi dunkelrot.
„Wie lange bleibst Du eigentlich in Frankreich?"
„Das weiß ich noch nicht, Colette! Aber nicht so ganz
doll lange. Ich möchte nämlich noch viel mehr reisen,
in ganz viele Ländern und ganz ganz viel sehen und
hören und erleben! Und natürlich essen!"
Colette war tief beeindruckt. „Willi, Du bist wirklich
besonders! Eine richtige Reisehummel!"

Für den Rest des Tages flogen sie einfach durch die
Gegend, mal hierhin, mal dorthin. Sie setzten sich,
wenn ihnen danach war und flogen weiter, wenn sie
Lust darauf hatten. Was hatten sie für einen Spaß
zusammen! Als es langsam dunkel wurde, suchten sie
sich einen geschützten Platz in einem dichten Busch.
„Bonne nuit!"[30] flüsterte Chloé. Ihre Stimme klang
so schön, dass Willi eine Gänsehaut bekam.
„Bon nu i." antwortete er lächelnd. „Vielen Dank für
diesen schönen Tag, Ihr Beiden!"
„Gern geschehen, Willi!" entgegnete Colette. „Es war

---

[30] frz.: „Gute Nacht!"

ein toller Tag! Es hat mir ganz viel Spaß gemacht mit Dir!"

„Pour moi aussi!"[31] flüstere Chloé.

Willi bekam wieder eine Gänsehaut.

Gleich darauf hörte er ein leises Schnarchen neben sich und dann ein zweites.

Er lächelte. „Was für ein Tag!" dachte er selig. Dann war auch er eingeschlafen.

Am nächsten Tag wachten sie auf, als die Sonne aufging. Um sie herum zwitscherten jede Menge Vögel.

Willi hatte wunderbar geschlafen und von Croissants geträumt, von Chloé und Colette, von jeder Menge Baguettes und Brötchen, und er war die ganze Zeit über glücklich gewesen und hatte gelacht. Und er hatte von Zügen geträumt, vom Reisen und vom Unterwegssein.

Und als er aufgewacht war, war da dieses Ziehen in seinem Herzen gewesen, so, wie er es auch schon gespürt hatte, als er in den Großen Gärten den wunderbaren Duft der Croissants gerochen hatte. Er wusste, was das bedeutete.

---

[31] frz.: „Mir auch!"

„Na, Willi? Hast Du gut geschlafen?" Colette streckte sich. „Bereit für neue Abenteuer?"

Willi antwortete nicht gleich.

„Willí, isch `abe ain Idä fürr `oite!" Chloé schien bereits hellwach zu sein. Sie war eindeutig eine Frühaufsteherin. Und wie er gestern schon bemerkt hatte, konnte sie doch mehr Deutsch, als sie gesagt hatte.

Willi seufzte.

„Qu´est que c'est, Willí?"[32]

„Ich..." Willi erzählte von seinem Traum. „Dieses Ziehen.... Ich möchte weiter, so schwer es mir auch fällt, Euch zu verlassen!" Als er die traurigen Blicke der Beiden sah, fügte er hinzu: „Ich reise einfach so gerne!"

„Ah, Willí...!" Chloé seufzte, so tief, dass Willi sie am liebsten umarmt hätte.

Das tat dann Chloé. Sie fiel ihm um den Hals und drückte ihn ganz fest. „C`était très jolie avec toi, Willí! Très, très jolie! Merci!"[33] Sie gab ihm einen Kuss. Dann ließ sie ihn los.

Willi war knallrot geworden. Vor Freude.

---

[32] frz.: „Was ist, Willi?"

[33] frz.: „Es war sehr schön mit Dir, Willi! Sehr, sehr schön! Danke!"

„Ich danke Dir auch, Willi!" sagte Colette. „Das war ein wunderschöner Tag gestern!" Dann umarmte auch sie ihn. „Alles Gute für Alles, was Du tust!"

„Oui, mes meilleurs vœux! Et bon voyage!"[34] Chloé versuchte zu lächeln.

„Wir bringen Dich noch zum Bahnhof!" sagte Colette.

„O, schön!" Willi merkte, dass er jetzt doch ein wenig traurig war. Abschiedsschmerztraurigkeit.

„Alors!"[35] Colette erhob sich. „Sollen wir?"

Sie flogen los. Auf dem Weg landeten sie noch auf ein paar Blumen, denn Frühstück, das musste sein!

Der Bahnhof kam in Sicht.

„Kommt Ihr noch mit rein?" fragte Willi.

„Ah, oui!"[36] rief Chloé. „Mais sûrement!"[37]

Der Zug war schon da.

„Ja...also dann..." Willi sah die Beiden an. „Danke nochmal für Alles! Ihr habt mir geholfen, meinen Traum wahr werden zu lassen! Das werde ich nie nicht vergessen! Niemals!" Er war sichtlich gerührt.

---

[34] frz.: „Ja, alles Gute! Und gute Reise!"

[35] frz.: „Dann!"

[36] frz.: „Oh ja!"

[37] frz.: „Aber sicher!"

Chloé und Colette sahen sich an. Auf ein Zeichen von Chloé hin flogen sie los und gaben ihm links und rechts einen Abschiedskuss. Gleichzeitig.

Willi wurde wieder knallrot. Glücklichseinrot.

„Au revoir, Willi!"[38] riefen sie, als er zur Zugtür flog. „Wir liebön Disch!"

Gleich darauf war Willi im Zug verschwunden.

Ein lautes Signal ertönte. Die Türen des Zuges schlossen sich.

„`schüß, Frankreich!" flüsterte er. „Es war schön hier!"

Er sah Chloé und Colette, die versuchten, neben dem Zug herzufliegen. Aber der Zug nahm so schnell Fahrt auf, dass es unmöglich war.

Willi glaubte gesehen zu haben, dass Chloé Tränen in den Augen hatte. Aber vielleicht lag es auch nur daran, dass er selber Tränen in den Augen hatte, als die Beiden immer kleiner wurden und schon bald nicht mehr zu sehen waren.

„Es war SO schön mit Euch Beiden!" flüsterte er und der Abschiedsschmerz pikste in seinem Herzen. „Danke für Alles! O re wa!" Er wischte sich blitzschnell über's Gesicht.

---

38 frz.: „Auf Wiedersehen, Willi!"

Dann atmete er tief durch. „Das war mein erstes richtig großes Abenteuer!" dachte er. „Und es war hummelmässig genial! So so so schön!"

Er beschloss, sich wieder einen Platz am Fenster zu suchen, einen sicheren Platz, so dass er die Reise geniessen konnte. Diesmal war es Tag und somit die ganze Zeit über hell. Das hieß, dass es jede Menge zu sehen gab!

Er fand wieder einen Platz auf der Gepäckablage in einem der kleinen abgetrennten Abteile, diesmal hinter einer großen Reisetasche. Sie gehörte offensichtlich zu dem jungen Mann, der als Einziger in dem Abteil saß und so mit seinem handy beschäftigt war, dass er Willis Kommen nicht bemerkte.

„Wunderbar!" dachte Willi glücklich. „Spitzenplatz!" Er machte es sich gemütlich.

Und während draußen die Landschaft an ihm vorbeiflog, dachte er an Alles, was er erlebt hatte. „Danke!" flüsterte er immer wieder und lächelte selig. „Danke! Danke! Danke!"

Und das war erst der Anfang gewesen, da war er sich sicher! Die erste von vielen Reisen, die er machen würde! Er wünschte es sich einfach so doll!

Und mit dieser Vorfreude im Herzen war es ein kleines bisschen leichter, Frankreich zu verlassen und wieder nach Hause zu fahren. Nicht, dass er sein Zuhause nicht liebte! Im Gegenteil: Er lebte so gerne in den Großen Gärten! Aber es gab ganz eindeutig noch sooo viel Anderes zu sehen auf der Welt! Und da er ein großes Abenteurerherz hatte, machte ihn reisen sehr sehr glücklich!

„Auf Alles, was noch kommt!" flüsterte er. „Ich bin gespannt, wohin die nächste Reise mich führt!"

Er lehnte sich an die Reisetasche. Dann atmete er tief durch und beschloss, die Fahrt aus vollem Herzen zu geniessen!

Fin[39]

9 783753 426938